여름 한가운데에서 사랑을

여름 한가운데애서 사랑을

발 행 | 2024년 01월30일
저 자 | 성예진
펴낸이 | 한건희
펴낸곳 | 주식회사 부크크
출판사등록 | 2014.07.15(제2014-16호)
주 소 | 서울특별시 금천구 가산디지털1로 119 SK트윈타워 A동 305호
전 화 | 1670-8316
이메일 | info@bookk.co.kr

ISBN | 979-11-410-6934-6

여름 한가운데에서

성예진 지음

CONTENT

이 책을 폈을 때는 신남과 설렘 따위의
감정을 느꼈으면 좋겠습니다.
그리고 이 책을 덮을 때에는
당신의 첫사랑을 떠올리고,
당신의 여름으로 빠졌으면 좋겠습니다.

제2장 ' 좋아해 ' 와 ' 사랑해 '의 차이

어느 날 친구가 이런 질문을 했다.
" ' 좋아해 ' 와 ' 사랑해 '의 차이가 뭘까? "

사실 관심 없는 척했는데
하루 종일 그 질문이 내 머릿속에 맴돌았다.

하루종일 생각해 정의를 내렸다.

' 좋아해 '는 고민 없이 행복한 사랑을 뜻하는 것 같다.
그래서 고백을 ' 좋아해 '로 하는 거 같다.

근데 그거에 비해,
' 사랑해 '는 좀 힘든 사랑 같다.
이유는 왜인지 몰라도 그게 맞는 거 같다.

고마워

네가 항상 챙겨주던 물티슈, 머리끈
그때는 그냥 그랬는데

지금 생각해 보니 소중하더라
내 행동 하나하나 보면서 기억해,
챙겨준 거잖아

아 어떡하지
그러지 말지 그랬어.

물티슈만 봐도 너 생각이 나,

그래도 고마웠어
맨날 부족했던 나 챙겨줘서.

첫사랑

사람들이 얘기하는 첫사랑의 의미가 맞는 거 같아.
첫사랑은 이렇게 사랑하는 게 처음이라
내가 당황해서 항상 서툰 거 같아

그래서 첫사랑이 끝나면 후회하고 슬퍼하고 그러는 거겠지
이름도 첫사랑이잖아 처음이니까
그런 거겠지 그냥 자기합리화리도 해보자.

많이 어렸고, 많이 서툴렀던 이 첫사랑의 끝을 좋게 맺어보고싶어

과거도 아니고 미래도 아닌 지금

지금이 가장 중요한 거 같다.
지금 우리만 느낄 수 있는 감정은 지금 밖에 못 느끼고,
지금 우리가 하는 이런 사랑은 지금만 할 수 있다

그니까 우리 조금만 더 사랑하자.
나중에 후회할 거 같아도 지금 조금만 더 사랑하자

낯간지러운 말 조금만 더하고
사랑을 표현하자.

우리의 하나뿐인 지금이니까.

인연

어쩜 우리도 수만 가지의 인연 중에 만난 거니까
절대 우리 사이는 소홀하지 말자
절대 가볍게 생각하지 말자

이 수만 가지의 인연 중에 우리가 만난 건 기적이다.
세상 모든 것을 주고 우리끼리 약속하자

어떤 일이 있더라고 서로의 곁에 꼭 있기로

힘들면 서로에게 기대고
기쁘면 서로 기쁨을 나누고

서로 그렇게 옆에 있으면서
더 인연을 깊게 만들자

우리 가벼운 사이는 되지 말자.

외사랑

외사랑은 힘든 것이다.
상대는 내 마음을 알지만 받아주지 않고

나 혼자 슬프고,
나 혼자 기쁘고,
나 혼자 설렌다.

그렇다고 얘를 좋아한다고 후회할 사람도 없다.

나 혼자 좋아한 것이다.
나 혼자 사랑에 빠진 것이다.

결국 힘듦도 나 혼자 감당해야 한다.

영원

영원은 없더라 영원을 말하던 우리도
결국 끝은 있었더라.

근데 나는 너를 영원히 떠올릴 거 같아.

그냥 나는 너랑 영원이 될 운명은 아니었던 거지
이럴 거면 그렇게 말해주지 말지
그렇게 해주지 말지

왜 힘들게 그렇게 잘해주고
나한테만 이쁜 말 해줬어

좋아하는 걸 깨달을 때

좋아하는걸 깨닫는 법은 뭐가 있을까

내가 그 애를 언급할 때?
친구가 얘기해 줘서?
아니면 걔를 한눈에 알아볼 때?

그냥 아무리 생각해도
너 얼굴 보고 행복한 나를 깨달으면서
널 좋아하는 걸 깨달은 거 같아.

네가 내 숨구멍 같더라
힘들 때 너한테 찾아가면 그냥 너 존재만으로
스트레스가 조금 풀려 그나마 편해져
그냥 이것만 알아줘

네가 내 숨구멍이 될 정도로 중요한 존재인걸

네가 이렇게 힘이 될 수 있다는 것을

사랑

나는 정말 우리가 인연인 줄 알았어
정말 사랑이 될줄 알았는데

내 오해였나 보다

다 내 착각이었나 봐

우리는 인연이 아니더라
우리는 사랑이 아니라 우정이더라

내가 한없이 부족해서 그런가
아니면 너한테는 어울리지 않는 여자인가 봐

그래서 우리가 안되는 이유인가 봐

너한테는

너한테는 이쁜 여자이고 싶어
아침에 일찍 일어나 화장하고 갔고

너한테는 귀여운 여자이고 싶어
혼자 웃는 법도 연습해 봤고

너한테는 이쁜 말만 해주고 싶어서
항상 이쁜 말만 생각해왔어

너한테는 얌전한 여자가 되고 싶어서
늘 신경 쓰며 행동했어

근데 너무 어렵더라
너 마음에 드는 여자가 되는 게.

연락

네 연락은 꼭 받아줄게.
항상 기다리고 있을게

근데 시간이 조금 지나면 못 받아줄 거 같아
꼭 시간이 지나기 전에 연락해 줘

전화도 괜찮고 문자도 괜찮으니까 제발

술 취해서 연락해도 괜찮으니까
한번만 보내줘

늦은 시간이라도 보내줘
너무 빠른 아침이라도 보내줘

근황

잘 지내고 있어?
밥은 잘 먹고 있고?

차마 못 물어보겠더라
아니 우리 지금은 물어보면 안 되는 사이잖아.

우리 이제는 아무 사이도 아니잖아.
서로를 보내줘야 하는 사이잖아.

너는 나 잊었어?
나는 못 잊겠더라.

잊는 법도 모르겠어
매일 너만 생각나고
매일 우리 추억만 생각나

네가 맨날 자기 전에 해준 사랑한다는 말도 그리워
넌 안 그리워?

그리우면 연락해줘.

꼭.

꼭....

기다릴게.

너만 있다면

너만 있으면 세상이 즐거울 거 같아
힘든 일들은 다 이겨낼 수 있을 거 같아

그냥 내 마음은 네가 내 온 세상인 거 같아.

내가 무너질 거 같으면 나한테 조금만 힘을 줘,
곁에서 할 수 있다고 조금만 응원해 줘.

그럼 네가 힘들 때 나도 너의 곁에서 응원해 줄게

영원히 내 곁에 있어줘
떠나지 말고
무엇을 잃어도 서로는 잃지 말자

힘들겠지만 서로 곁에 있자

온 우주가 바라는 사랑

너 온 우주가 응원하는 사랑 알아?

드라마나 웹툰,
아니면 학교나 친구들이
이어주고 응원하는 사랑 말이야

너랑 나도 그런 온 우주가 응원하는 사랑일까?
아니면 온 우주가 부정하는 사랑일까.

우리가 그런 사랑을 했으면 좋겠어
온 우주가 응원하는 사랑.

내 소원

저번에 하늘을 봤는데
별이 반짝이고 달이 환하게 빛을 비추고 있더라.

그래서 소원을 빌었어
눈을 꼭 감고 마음으로

근데 내 소원에는 너에 대한 소원밖에 없더라
너도 이 하늘을 보고 내 소원을 빌었을까?

왠지 소원을 빌고 내 마음이 시원섭섭하더라

오늘 이 소원으로
네가 조금이라도 행복해졌으면 좋겠다.

토닥토닥

오늘만은 자신한테 토닥토닥해주자

사랑하느라 수고했다고 토닥토닥,

내 마음도 사랑하느라 많이 힘들었겠지.
오늘만큼은 내 마음에 신경 쓰고 토닥토닥해주자.

수고했어 내 마음아
고생했어 내 마음아

오늘만큼은 편하게 울자 소리 내어 울어도 괜찮아,
그냥 수고했다고 토닥토닥

인사

네가 해주는 인사는 진짜 특별한 거 알아?
나한테 손 흔들어준 그 공기가 아직도 기억나

한 여름의 더운 아침이었어.
근데 그때는 봄처럼 더웠던 바람이 따뜻해지더라

온 세상이 밝아지고 따뜻해진 기분이었어
꿈만 같았는데

또 그렇게 사랑에 빠졌지
많은 사람들 속에서 너만 보였어

그 떨림은 처음이었어

내 기억 속에 계속 남아줘
이렇게 아름다운 추억을 잊기는 너무 아까워

나중에 또 기억을 꺼내,
또 생각할게

좋은 꿈 꿔

하루가 힘들었어도
잘 때는 행복했으면 좋겠어

아무 고민 없이 행복한 꿈을 꾸면서
다음날 개운하고 기분 좋게 일어나서
하루를 시작했으면 좋겠어

꼭 안 좋은 꿈은 꾸지 않았으면 좋겠어

온 세상이 널 사랑하는 걸
느꼈으면 좋겠어

그리고 다음날이 힘들더라도
그 사랑을 떠올리며 힘듦을 이겨냈으면 좋겠어

결국 바꿀 수 없는 첫사랑

사람들이 첫사랑은 제일 좋아하는 사람이
첫사랑이라고 말하잖아.

네가 첫사랑이 아니길 바랐는데,
왜 이렇게 슬프고 힘든 날에는 네가 떠오를까

우리가 서툴던 사랑을 약속하던 그 순간이 왜 계속
떠오를까.

네가 옆에서 날 보며 웃던 그 모습이 떠오를까.

아니라고 믿고 싶었는데

결국은 네가 내 첫사랑이더라

치사한 거 아는데

치사한 거 아는데
네 첫사랑이 나였으면 좋겠어.

힘들면 내가 떠올랐으면 좋겠어

그냥 진짜 치사한 거 아는데
평생 나 잊지 않아줬으면 좋겠어

진짜 치사한 거 아는데
그냥... 그냥 너한테는 안 잊혔으면 좋겠어

내가 웃는 모습을 계속 기억하며
혼자 그리워해줬으면 좋겠어.

그냥 그게 다야.

내 마음

사실은 외사랑 하면서 느낀 건데.
그 사람한테 마음을 바라면 안 된다

간단하다 나만 마음을 포기하면 끝나는 관계이고
나만 정리하면 끝나는 관계이다

즉슨 나만 마음이 있는 것이다

사랑은 참 잔인하다.

.
.
.

알고 있음에도 끝내지 못한다.

봄

안녕 나의 기쁨아

널 이번년도 봄에 좋아했는데 벌써 내년 봄이 오고있어
계절이 4번이나 지나가고 연도가 지나가는데
너한테서 느끼는 사랑은 똑같은 거 같아.

봄날에 네가 이쁘게 웃는 모습을 보고 좋아했는데
또 봄이 오는 걸 보니 심장이 두근거린다.

봄날의 햇빛처럼 너의 미소도 다시 찾아오겠지?
그럼 그 이쁜 미소를 나한테 다시 지어줘.
그럼 나도 같이 웃어줄게

그리고 꽃구경도 하자
같이는 아니겠지만 따로라도.

벌써 살랑이는 바람이 내 마음속에 불어오는 거 같다.
이번 봄도 잘 부탁해.

내 봄아.

겉돌기

오늘도 너에게 다가가지 못하고
겉돌기만 한다.

너에게 한 뼘이라도 다가가지 못한다
그냥 빙빙..

너의 곁만 겉돈다.

정말 지구와 달 같다
만약 그러면 내가 지구일까 달일까

나는 그냥 달이 되겠지
너는 빛나고 나에게 큰 존재이지만

나는 어둡다. 근데 네가 어두울 때면
나는 너에게 빛을 나누어준다.

제 2장 청춘

그때는 몰랐다.

조금 더 성숙해져 내 머릿속의 기억을 꺼내
정리를 하고 있었다
근데 기억 중 하나는 학교였다.

창문을 열어두고 있었고,
그냥 있는 책상에 둘러앉아
남자애들 여자애들 상관없이
수다를 떨고 있었다.

그리고 불을 끄고 있어 어두웠지만
햇빛이 우리를 비추고 있었다.
별로 의미 없는 대화들이었다.

뭐 사랑 얘기나 학교 얘기 따위?
근데 우리는 하나같이 웃으며 그 의미 없는 대화를
이어갔다.

그저 기억 속인데
마음 한구석이 간지럽다.
이때로 돌아가고 싶다.

눈에서는 왜인지 모르는 눈물이 떨어진다
아아, 아무것도 아닌 줄 알았던 기억이었는데

내 청춘이었다.

소중한 기억

우리가 함께하는 나날이
마지막인 것처럼 즐기자.

졸업하면 못 보는 사이지만
지금을 즐기면서 청춘의 한 페이지를 써가자.

나중에 다 큰 어른이 되어서
이 청춘을 그리워하는 날,
그 시간에 내가 지금 행복한 감정을 다시 느낄 테니.

정

우리는 겨우 1년밖에 안 붙어있었는데
그 사이에 정은 10년 붙어있던 것처럼 커진다.

벌써 그립다.

우리가 수업 시간에 쪽지 돌리던 것도,

남자 애들이 여자애들 거 맨날 뺏어 먹던 것도,

급식실에서 우리 반끼리 웅성웅성 떠들던 것도,

체육대회 전 날 열심히 준비하는 남자 애들을
배려하는 여자애들도,

그리고 반이 1등을 해 신나게 소리 지르고
뛰던 우리도,

내 1년을 빛내어 준 것 같다.

누군가의 기억

나도 누군가의 추억이 되겠지
누군가 나중에 기억을 꺼내다가
지금 내가 떠오르겠지.

나도 누군가에게는 중요한 사람이고
중요한 추억일 수도 있다.

그니까 힘들어도 포기하지 말자,
그리고 주변에 있는 사람들을
당연하게 여기지 말자.

근데 그중에 날 힘들게 하는 사람이 있다면
가차 없이 잘라내자.

그 사람은 나를 중요하게 생각하지 않는 것이다.

미숙함

그때 우리의 미숙함이 모여,
지금의 청춘이 된 거겠지.

그때 미숙한 기간이 있어서
지금 성숙한 내가 되었겠지

조금 내가 민망하더라도
칭찬해 주자.
그때 그 실수로 내가 성장했으니,
처음이라 실수한 것이니 나를 탓하지는 말자

그저, 다음에 똑같은 실수는 하지 말자

한 순간

나는 분명 유치원을 다니던 어린아이였는데,
나는 분명히 떨리는 마음으로 초등학교를 들어갔는데.

한순간에 나는 떨리는 마음으로 초등학교를 졸업하고
벌써 중2가 되었다.

나는 분명 조금한 어린아이였는데
어쩌다 훌쩍 커서 청소년이 되었는지.

또 나중에는 어른이 되고,
내가 가정을 꾸리고 있겠지.

그리고 아이를 낳고
아이의 초등학교도 가보겠지

인생이라는 건 정말 한순간인 거 같다.

졸업

새 학기 때는 너무 어색해
뛰쳐나가고 싶을 정도지만

졸업할 때는 다시 만나자며
다음 만남의 약속을 한다.

나중에 꼭 다 커서
그때 그 우리만의 장소에서 보자.

그리고 우리의 추억을 얘기하며
웃고 떠들자

그게 밤새도록 이어져도 좋으니까

꼭 다시 만나자.

같은 반

어쩌면 우리는 좁은 같은 반에서
성장기를 같이 보낸 거 같아.
남녀 상관없이 같이.

힘들면 손을 내밀어 주고
내가 힘들 때면 누구에게 기대고
같이 성장하는 법을 배우고
가끔 삐딱하게 성장하고,
반항도 하지만

우리는 같이 성장기를 보냈다.

어쩌면 힘들 수도 있던 여름을 같이,
다 함께 즐겁게 이겨냈다.
더우면 더운대로
사소한 것도 소중하게 여기며 이겨냈다

고마워, 내 여름에 함께해 줘서

그리운 것

도대체 청춘이라는 것에서 그리운 것이 무엇일까

같이 각자의 여름을 함께 이겨내는 것?

아니면

아침에 급하게 교복을 입으며 9시까지 등교를 하고
점심을 기다리다 애들과 점심을 먹으며
떠들고 교실로 돌아와 수다를 떨고
수업을 듣다가 졸아 선생님한테 혼나던 그때?

아무래도 2번째겠지?

젠가

우리가 함께 했던 시기에는 정말 우리가 불안정했다.
가끔 삐딱해지고 가끔 비행을 했다.

근데 그나마 네가 곁에 있어줘서,
내 불안정했던 시기가 안정을 찾았던 거 같다.

고맙다고 말하고 싶은데
말로 다 할 수가 없어서
어떻게 표현을 해야 되는지 모르겠다.

젠가 같았는데. 무너지기 직전이었는데
나를 새로 세워줬다.

다행이다

내가 울 때는 네가 곁에 있어서 다행이다.
울면 괜찮냐며 다 들어주고
말을 예쁘게 가꾸고 꾸며
진심을 다해 나를 응원해 주는 네가 있어 다행이다.

힘들다고 하면
다 내려놓고 나한테 뭐냐고 물어보는 네가 있어
다행이다.
억울한 일이 있으면 달려가 얘기하는 네가 있어
다행이다.

너무 고맙다 근데 너무 작은 나는
너에게 표현을 못 해주는 것 같다.
나는 너에게 도움이 못 되는 거 같은데..

네가 곁에 있는 거만으로 힘이 된다는 너의 말에
내 마음이 이상해진다

너무 마음이 쓰라린데 너무 행복하다.

그 해 여름

그 해 여름에는 우리가 너무 푸르렀다.

공부만 하기에는 너무 아까웠고
사랑에 아파하기엔 너무 아까웠다.
그리고 너무 어렸다.
어른들이 하는 고민을 우리도 한다.

어쩜 이 세대에 살아가는 청소년은 너무 빠른 거 같다.
공부도 걱정해야하고
인간관계는 물론.

어른들도 우리에게 너무 많은 걸 바라고 있다는 생각도
든다.

요즘 세상은 너무 빠르다.

노을

지지직, 지지직,

조금한 화면에서 우리는 웃는다.
우리는 행복한 듯 웃으며 학교 복도를 뛰어다녔다.
내일 걱정은 없다는 듯이,

그리고 학교를 나와, 운동장에 앉아있으면
해가 지고 있었다.

너와 나의 얼굴에 붉은색 햇빛이 드리웠다.

아, 시원하다
반쯤 누워 끝나지 않을 거 같은 수다를 이어간다.

해가 다 떨어질 때쯤
서로 인사를 한다

-잘가!

서로 팔을 흔든다.

낙서

어쩌면 우리 사이도 낙서 아닐까?
시작은 어디에서 한건지 모르겠고
끝도 모르겠는데
완성작은 은근 보기 좋은,

그런 낙서. 가볍게 그리기 좋은데
막상 가볍게는 아닌 그런 사이.

나는 마음에 드는데
다른 누구는 마음에 안 드는 그런?

그러다가 잊게 되겠지
아니면 잘 그려져
내가 간직하던가

간직하다가 찢어지거나 젖거나 그러겠지.

어쩜 우리 사이같아

보석함

지금의 푸른 여름을 담아두고
우리의 청춘을 담아두고
너의 미소를 담아두고
예쁜 말들을 담아두고는
나중에 하나하나 꺼내,

하나씩 천천히, 추억하자
이름은 보석함으로 하자.

밤하늘

하루를 끝내고,
터벅터벅 집으로 간다.

그리고 오늘 있던 일을 곱씹는다
그렇게 매일을 아스팔트 땅바닥만 보며 집에 왔다.

오늘은 한숨을 내쉬다
하늘을 봤다.

반짝반짝 이쁘다.

이게 몇 년 만에 보는 거 같은지
그저 가만히 그리고 조용히 내 마음을 별이 감싸 안고
위로해 주는 거 같다.

그렇게 오늘은 벤치에 앉아,
생각을 정리하고 집으로 돌아갔다.

인생에는 이렇게 쉬는 시간이 있어야 한다.

삶

당신은 삶을 살아갈 이유가 마땅히 있다.

누군가에게는 당신이 힘이고,
당신이 살아가는 이유일 수도 있다.

그저 내가 당신에게 원하는 것은
실수해도 되고 한 번쯤 무너져도 괜찮다.

고개를 당당히 들고 걷고
이 삶만은 포기를 안 해줬으면 좋겠다.

당신은 죽기에 너무 소중한 사람이다.

여행

당신의 빨간 선이 그려져있는 손목을 잡고
도망가듯 여행을 떠나고 싶다.

하루 정도는 온전히 즐거움을 느껴야 하지 않겠어?

당신의 여름처럼 푸르른 바다든,
당신의 마음처럼 안락한 초록빛 숲이든.

그리고 당신의 손목에 슬픔의 낙서가 없어질 때까지
여행하고 싶다.

우리 그저 하루쯤은 행복하게 지내자

너만의 빛

당신의 아름다움은
아무도 따라 하지 못할 정도로 빛난다.

그저 그 빛에 눈이 멀어,
당신의 빛을 못 알아주는 사람도 있는 것뿐이다.

당신만의 빛이 날 치유해 준다.

당신의 빛은 청아하다.
바다처럼.

별똥별

어쩌면 너도 내 인생의 별똥별 아닐까?

칙칙한 내 인생을 꾸며줬잖아
나 정말 너 덕분에 많이 바뀌었는데
너도 알겠지?

근데 너는 돌아오지 않더라.
조금만 더,
아니면 오래 기다리면 돌아오겠지

나를 또 비춰주고 또 떠나,
오래 뒤에 오겠지

남

사실 우리 남이었잖아
어쩌다 하나 밖에 없는 사이가 되었는지

우정 빼면 남이고
사랑 빼면 남이잖아 우리,

왜 남이 될 수도 있는 사이를 놓지도 못하고
붙잡고만 있는 건데

붙잡는다고 달라지는 거 없잖아.

겨울

우리의 여름으로 내 마음은 녹겠지,
그러고는 다시 우리의 겨울로 굳고는
여름은 돌고 또 오겠지

그럼 여름을 만끽하며 마음은
형태로 알아볼 수 없을 만큼 녹겠지

햇빛이 우리를 죽일 듯
뜨겁게 해도 함께 있으면 더운 것도 몰랐던 우리.

겨울이 오면 마음은 굳고
우리 사이는 좀 멀어지겠지

그리고 다음 여름이 오기 전에 헤어질 거 같아
네가 전 같지 않아.

그 해 여름은 우리가 사랑할 수 있는 마지막
여름이었다.

행운

행운이 그리 특별한 건가
근데 나는 어느새 행운을 바라고 있다.

그리고 너에게 행운이 찾아왔으면 좋겠다

그냥 당신의 매일이
아무 일 없이 행복했으면 좋겠다.

영화

가끔 삶을 영화처럼 살아보자

기분 좋게 밖으로 나가
햇살을 마주하고
소중한 사람과 밥도 먹고
노래를 들으며 길을 걷고
밤에는 하늘을 보며
멍을 때리자
그리고 고민 없이 편하게 잠에 들자
꿈도 좋은 꿈만 꾸고

그렇게 영화처럼 살아보자

나의 삶을 누려보자
하루종일 행복만 느껴보자.

인형

고된 하루가 끝나고
포근한 침대에 뛰어들어
애착 인형을 안는다.

괜히 인형에 얼굴을 박고는
감정을 정리한다

애써 눈물을 참는다
근데 결국 눈물은 흐른다
주르륵 주르륵

소리도 못 내고 조용히 눈물만 흘린다
인형은 그 눈물을 조용히 받아준다
아무 말도 안 하고 아무것도 안 하고
그저 내 품에 안겨 눈물만 받아준다.

휴식

휴식이 제일 어려운 것 같다
쉬다가도 뭘 해야 할 것만 같고
너무 행복하면 불안하다.

왜 행복과 불안은 같이 찾아오는지,
좀 쉬고 싶은데 쉬는 법을 잃어버렸다.

기대감

기대감은 사람을 망치는 거 같다.
사람은 한동안 기대감으로 기다리고 또 기다리게
만든다.

하지만 그것이 거짓말인 것을 알게 될 때
허무한 감정이 든다.

전화도 하기 싫고 한순간 다 포기하고 싶게 만든다.

그래서 기대를 하지 말아야지 하다가도
어느새 또 다른 사람에게 기대하고 있는
나를 발견한다.

또 똑같은 감정을 느낀다.

파도

파도는 모든 것을 휩쓸고 간다.
다르게 문학적으로 보면
나쁜 것 같다.

한순간에 어떤 것들을 빼앗아간다.

그데 이 파도를 너와 같이 맞고 싶다.
너랑 맞으면 괜찮을 거 같다.

제 3장 슬픔

정확히 슬픔이 어떤 감정인지
잘 모르겠다.

아니면 슬픔에 빠져
이 감정을 익숙하게 느끼는 거 같다.

슬픔이란 건 정확히 무슨 감정일까.
어쩌면 사랑도 슬픔 같다.
모르겠다 다양한 감정이 내 머릿속을 헤집는다.

인생

인생이란 건 진짜 모르겠다

어쩌다 성공할 수도 있고
어쩌다가 나락으로 빠질 수도 있다.

운명이란 것은 있는 거 같은데
왜 아직도 안 찾아왔을까,
기다리기엔 너무 지친다.

백일몽

백일몽을 꾼 것 같다.
머리가 띵해 아릿하다.

분명 나는 행복했는데,
어느새 그 행복이 나를 짓밟아,
슬픔으로 빠트렸다.

친구들도 나를 점점 떠나가고
너의 사랑을 원했던 게 아닌 사랑을 원한 거였다.

첫만남

만약에 널 안 만났다면 어떻게 됐을까,
널 보고 첫눈에 안 빠졌다면,

과연 난 행복했을까?
아니면 결국은 널 보고 빠졌을까?

차라리 널 알기 전으로 돌아갔으면 좋겠어
비겁하고 멍청이 같은 소리겠지.

그래도 널 알기 전이 더 행복하지 않았을까?

울며 가는 길

민망한 일인데
어느 날 학교를 끝나고 집에 걸어가던 길이었다.

학원을 가지 않는 날이라
집에 가서 쉬려고 걸어가고 있었다

집이 40분정도 걸어야해
가는 길에 나는 맨날 생각을 정리했는데
그러다가 갑자기 서러움이 터져,
가는 길 40분 내내 울면서 집에 온 기억이 있다.
그리고 집에 또 와서 40분 넘게 한참 운 기억이 있다.

근데 지금 생각해도 그때는 너무 힘들었다.
마음이 나에게 너무 힘들다고
신호를 보내는 것 같았다.

나를

가끔 너도 나를 그리워해줬으면 좋겠어
내가 너에게 준 사랑을 그리워해줬으면 좋겠어

내가 너에게 준 사랑이 아깝지 않게

조금이라도 좋으니까
나를 그리워해줘

자몽하다

널 보면 자몽해진다.
이상하다
.
.
.

널 만났을 때 기억이 많이 없다
기억이 있어도 좀 많이 뚝딱거리는 거?

날이 갈수록 더 심해지는 거 같기도 하다.
더 마음이 생기고 정이 생겨서 그러는 건가 보다.

운동장

급식 먹고 여자애들끼리 모여
수다 떨며 양치하고 나가

운동장 주변에 앉아서
수다를 떤다

그러면서 남자애들이 축구하는 모습이 보이는데
그 풍경이 너무 좋다.

그걸 보며 수다를 떨면
즐거움이 배가 되는 거 같다.

자신을 싫어하는 사람에게

아무래도 내가 제일 편해서
상처받을 사람은 나밖에 없어서
그런 이유로 나를 싫어하는 거 같다.

나도 나 자신을 굉장히 싫어하지만
이 책을 읽는 사람에게 전하고 싶다.

그래도 나 자신을 제일 사랑하자.
남을 사랑하는 만큼 나에게도 사랑해 보자.

미움

사실 네가 너무 미웠어,
근데 너 보면 다 풀리더라.

포기하려고 할 때마다
잘해주는 네 행동이 너무 미웠어.

근데 내 사랑이
그 미움을 다 용서해 주더라.

보고싶다

네가 너무 보고 싶어
그래서 너 있는 곳으로 달려가고 싶은데

너가 나 안 좋아하는 게 느껴져서
너무 아파,
근데 사랑은 안 무뎌지더라.

그 모든 아픔은 결국 무뎌지는데
왜 사랑은 안 무뎌질까.

마음껏

막상 지금은 너무 힘들지만
몇 년 안되는 청춘
또 언제 즐겨, 마음껏 즐기자.

푸르른 여름같은 우리도
많이 남겨두자.

하나뿐인 내 여름이고 청춘이니까.

맑은 바다

기억나?
우리 작년 여름에 같이 바다 가서
물놀이했었잖아 서로 물도 뿌리고 재밌었지

너는 나에게 바다를 가장 좋아한다고 했어.
근데 여름도 아닌 겨울바다에 왜 뛰어들었는지.

너는 투명하고 맑은 바다에 빠져 그렇게 돌아오지 않은
이유가 뭔지,

네가 그렇게 좋아하던 바다가 너의 몸속으로 들어가
점점 숨이 막히는 걸 느끼면서 넌 무슨 생각을 했는지.

바다를 볼 때마다 내 숨이 턱턱 막혀
너의 생명을 빼앗아두고는 아무 일도 없었다는 듯
반짝반짝 빛을 내는 이 바다가 너무 싫어.

윤슬

윤슬은 밤에도 빛이 난다.
어두워도 반짝거린다.

아침에는 맑게 빛나고,
밤에는 누군가를 위로해 주듯
어둡게 빛난다.

모여 푸른빛을 내지만
따로 보면 맑고 청아하다.

색깔

사람은 사람마다 색깔이 있다.

누구는 밝은 핑크나 빨강,
어떤 누구는 회색이나 검정.

너는 어떤 색일까?
내가 생각하기에는
음...

너는 연두색 같다.

자신을 뽐내지만 그렇게 뽐내지는 않는다.
그리고 너만의 개성이 있다.

의견

남이 나에게 의견을 물어보면
난 다 괜찮다고 받아들인다.

받아들이면서도 후회한다.

왜 내 의견을 물어봤는데
내 의견은 말하지 못하는지,

우연한 인연

나는 친해질 때 우리가 이렇게 친해질 거라고는
상상도 못했다.

근데 우연히 만난 관계인데
우리는 둘도 없는 친구가 되었다.

그래서 더 소중한 거 같다.

고마워 오늘도,

행복한 삶

만약 그래도 80년 정도의 인생을 살면서
행복만 한 사람은 없지 않을까?
그래도 한 번쯤은 다 불행하지 않을까?

만약 행복한 삶만을 살고 있다면
다른 사람에게도 그런 삶을 사는 법을
가르쳐 주었으면 좋겠다.

조금이라도 삶이 행복해지는 법을 가르쳐 주었으면
좋겠다.

향기

나는 기억력이 그다지 좋지 않아
이름도 별로 못 외우고
생일도 잘 못 외운다.

근데 내가 처음 만난 사람도 이상하게 기억하는 것이
있다.
그 사람에게 나는 향기이다.

그래서 길을 걷다가 익숙한 향기가 나면
괜히 뒤를 돌아보고,
혼자 있을 때도 그 사람의 향기가 날 때가 있다.

글로 보면 이상한 사람 같지만
나는 향기를 잘 기억한다.

공부

기가 시간이든
유치원에서든
초등학교 창체 시간이던

공부 말고 나를 사랑하는 법을 먼저 배워야 하는 것
같다.

공부로 남을 이겨야 하는 법만 배우고
학교에서는 나를 위한 건 넘어가거나 대충 배운다.
남을 까내리고 나를 까내려서야만 성공하는 법을
배운다.

나는 그것보다 나를 사랑하고 남을 배려하는 걸
배워야 한다고 생각한다.

창 밖

45분 동안 쉬는 시간을 바라다
종이 치면 교과서를 들고
뒤로 나가 사물함에 교과서를 집어넣는다.

그러고는 자리에 앉아
창밖을 바라보면 나무가 바람에 스쳐
찰랑거린다.

귀에서는 친구들의 대화가 들려오고
창밖에서는 한 여름을 알려주고 있다.

기타

너는 기타를 잘 쳤다.
근데 나는 한 번도 들어보질 못했는데

어느 날 네가 반에서 기타를 쳤다.
앞에 바로 앉아, 너의 기타 연주를 들었다
차분하고 감성적이었다.

네가 손으로 기타줄을 하나하나 칠 때
내 뇌 속 세포도 하나하나 치는 것 같은 기분이었다
마음이 몽글몽글 해졌다.

그리고 결국 우리는 이별을 했고
2년이 지나 학교 축제에서 너는
기타로 무대를 올랐다.

너는 중앙에서 기타를 쳤는데
마음이 이상해졌다.

내 시선은 너밖에 안 보였고,
그때의 너와 겹쳐 보였다.

너는 영락없는 나의 첫사랑이었다.

나도 모르겠다

너는 뭐였길래
내가 왜 이렇게 좋아했을까,
그렇게 상처받으면서까지 왜 좋아했을까,
나도 모르겠다.

딱히 좋아한 이유도 없다.
아 아니다 좋아하는 이유가 없는 거면,
첫사랑이라는데.

제4장 당신은 어떤 계절이 그리우신가요?

따뜻하고 영원한 사랑을 약속하던 봄?
맑고 우리의 푸르른 사랑을 하던 여름?
낙엽을 주어 간직하자며 약속하던 가을?
첫눈을 보며 우리는 평범한 인연이 아니라고
얘기하던 겨울?

사실은 그 계절이 그리운 게 아니라
네가 나에게 준 사랑이 그리운 것이다.
그리고 네가 해준 말이 그리운 것이다.

울음

우리가 또다시 만나면
솔직히 울 거 같아.

근데 우리 다시 만나면
서로 울지 말고
웃자. 나중에 후회 안 하게

그러고는 뒤돌아,
서로가 안 보일 때쯤
울자

놓친 걸까 놓은 걸까

내가 너를 놓은 걸까
내가 너를 놓친 걸까

내 마음은 너를 놓치기 싫어서 놓은 건데
사실은 내가 놓친 거 같아.

그래 내가 놓았는데
미련이 남은 거면 놓친 거겠지.

내 선택이 후회되는 거면
놓친 거 맞는 거 같아.

내 여름

내 여름은 무엇으로 빛날까
사랑? 우정? 아니면 무엇일까

친구들과의 추억이
내 푸른 여름을 책임지려나

아니면
너와 같이 있던 추억이
내 푸른 여름을 책임지려나

이를테면 난 너와의 추억이
내 푸른 여름을 책임졌으면 좋겠어.

네 세상

너는 너무 아름다운 세상을 가지고 있는데
나는 너무 어두운 세상을 가지고 있는 거 같아,

그래서 나는 네가 나 대신 다른 사람에게
찾아갔으면 좋겠어.

다른 사람의 좋은 세상에서
예쁜 꽃을 보면서 나를 점점 잊어가줘

너만의 꿈을 키워가면서
거기에서 행복하게 있어줘

나는 그냥 조용히 있다가
정말 네가 너무 그리워질 때,
내 세상이 너를 받아줄 수 있을 만큼 예뻐질 때

그때 너를 찾아갈게,
너는 그냥 좋은 곳에서 있어줘.

내 우주

너는 내가 제일 힘들 때 날 일으켜줬어,
그리고 너 덕분에 사랑과 이별을 알게 되었어.

우리 다시 만났으니까
네가 또 나한테 마음 없어질 때까지만
나 많이 이뻐해줘라,

나 많이 예뻐해주고
마음이 또 없어지면
그때, 그때는 나 놓아도 돼

비

나 아직 이 비를 혼자 맞기에는 조금 무서워.

함께일때는 우리 이 비를 같이 맞으면서 웃었는데
왜 나 혼자가 되니까 무서울까

혹시 비를 보고 내가 떠오른다면
우산을 들고 뛰어와줘
아니면 뛰어와서 아무 말 없이 안아줘

나 여기에서 너 기다리고 있을게

무지개같이 찬란한 사랑

내 청춘을 받쳐 사랑했던 사람
내 눈에 넣어도 아프지 않았던 사람
그게 너더라

사람은 한 번쯤 인생에서 가장 찬란한 사랑을 한데
난 네가 아니길 믿었어 그리고 그렇게 믿고 싶었는데
너더라 다시 처음부터 돌고 돌아 생각해도 너더라

왜 너일까
.
.
.
왜 너는 나를 떠났을까

다음 생

널 딱 한번 사랑하기에는
인생이 너무 짧아,

다음 생에서도 꼭 너를 찾을게
찾아서 또 사랑해 줄게.

그럼 너도 똑같이 해줘야 해
알겠지?

남는 것

모든 것은 거의 떠나가는데
시간이 흘러도 사랑은 남더라

전에도 사랑을 했을 거고
미래에서도 사랑을 하겠지.

시간이 오래 흘러도 사랑은 남을 거야,
또 어디서 누가 사랑을 하고 있겠지.

인에이블러

결국 사랑은 또 나를 망쳤다.
사랑을 안 하겠다고 다짐했지만
사랑을 안 하고 살아갈 수가 없다.

사람은 사랑을 하고 살아야 한다.

너는 나에게 좋아한다고 다가왔다
나는 그걸 뒤늦게 알았고,
결국 망가졌다.

날 사랑한다면서,
나밖에 없다면서,
그런 네가 나를 망쳤다.

예상

사랑은 예상하지 못할 때 찾아온다.
이때?라고 생각할 정도로.

그리고 우리는 사랑의 크기를
생각하지 못하고 사랑만 준다.

내 마음이 텅 빌 때까지,
결국 사랑이 끝나면 내 마음은 텅 비어있다.
그래서 더 외로운 것 같다

그리움

내가 이토록 그리워해도 소용없는 걸 다 안다.

그래도 이렇게 그리워하는 이유는
내가 내 마음을 못 견딜 거 같아서,
그래서 그리워하는 거다.

내가 그리워해봤자 네가 돌아오는 것도 아니고
너한테 연락이 오는 것도 아니고
네가 내 앞으로 돌아오는 것도 아니다.
그래도 혼자라도 마음을 추려보기 위해서 그리워한다.

큰 바다

가끔 큰 바다가 나를 덮치면
아무것도 하기 싫어진다.

아무것도 듣기 싫고
아무것도 말하기 싫어진다
그리고 내가 무엇을 위해 살아가는지 모르겠다
나에 대한 의심도 깊어져만 간다
그럴 때면 나를 사랑해줘야 하는데,

나를 사랑하는 법을 모르겠다.
그래서 그냥 우는 것이다
소리내어 우는 법도 몰라서 조용히.

상처

내 마음은 너무 망가졌다.
사람에게 상처를 너무 많이 받은 거 같다.

가끔은 우울함이 안 멈출 때도 있다.

가끔 너무 상처받거나 너무 힘들면
미친 듯이 웃어본다,
혹시나 조금이라도 행복해질까 봐.

나에게 또 행복이 찾아올 것을 안다,
근데 지금 상황이 너무 힘들어서
그 행복을 기다리기엔 지친다.

눈 밭

내가 사는 지역은 강원도라서
눈이 많이 온다.
눈이 퐁실하게 쌓인다.

이상한 소리 같지만,
이 눈 밭에 누워서
파묻히고싶다.

인간관계 고민도 생각 안 하고
공부 걱정도 안 하고
퐁실한 눈밭에 누워있고 싶다.

사랑은 무엇일까

사랑은 무엇일까?
그 사람을 미치도록 좋아하는 마음?
아니면 좋은 곳에 가면 그 사람이 생각나는 것?
.

.

.

.

사랑은 아직 무엇인지 모르겠다.
국어사전에서는 어떤 사람이나 존재를 몹시 아끼는
일이 사랑이라고 한다.

근데 진짜로 사랑을 해본 사람들은
사랑이 아픔이라고 한다.

제5장 결혼

우리는 그냥 결혼할 운명이 아니었던 거야,
애초에 만날 운명이 아닌데 그 운명을 우리가 바꿨다가
신이 다시 되돌린 거겠지

그거밖에 없어.
네가 어떻게 이렇게 바뀔 수 있겠어.

만약 우리가 드라마나 만화였다면
결혼까지 했겠지?

고양이

만약 고양이었다면
사람들이 나를 좋아했을까?

만약 내가 고양이였으면
어디든 돌아다니면서 사람들의 사랑을 받고 다닐 거야
좋은 것도 많이 보고,

고양이인 삶으로 내가 하고 싶은 것을 다할 거야
짧은 인생이지만 그게 제일 인상 깊은 인생 아닐까.

나만의 방법

나는 어둠을 무서워한다.
밤도 안 좋아하고 자는 것도 좋아하지 않는다.

어쩌면 무서워하는 건지도 모르겠다
그러다 방법을 찾아냈다.

1. 어둠을 보고 한숨을 한번 쉬어주기
2. 너무 무섭다면 내 몸을 토닥토닥해주기
3. 인형을 꼭 안기

이 정도뿐이다
하지만 이걸로도 내 두려움은 해소되지 않는다.
.
.
.
오늘도 눈물로 밤을 지새울거 같다.

고민

좋아하는 애한테
뭐라고 보낼까 정도의 고민은 괜찮다.

근데 보낼까 말까 고민하는 건 안 했으면 좋겠다
내가 그렇게 시간을 날린 적이 많다.

시도하지 않으면 시작을 하지도 못한다
그것만 알고 시도만이라도 해줬으면 좋겠다

이불

나는 이불처럼 따뜻한 존재였으면 좋겠다.
추우면 나한테 기대고,
슬플 때도 나한테 기댔으면 좋겠다.

그리고 나에게 안락하다는 감정을 느꼈으면 좋겠다.
편안하단 감정도 함께.

내일 세상이 끝난다면

만약 내일 세상이 끝나면 넌 어떨 거 같아?
나는 네가 보고 싶어서
널 보려고 뛰어갈 거 같아.

내가 그만큼 너를 사랑하나 봐,
만약 세상이 내일 끝난다면

난 너에게 달려가,
애써 웃으며 고생했다고 말할 거 같아.
그리고 가려다가 눈물이 터져
너에게 다시 가서
무섭다고 한번만 안아달라고 하겠지.

영원한 시간

나는 영원한 시간 속에서
끝이 없이 너를 사랑할 거야.

어쩌면 우리의 시간은 영원하지 않고
한정적인 시간이겠지만,
나는 한정적이지 않게 너를 사랑할 거야.

진정한 사랑

나중에 생각했을 때도
아 내가 이래서 좋아했지라는
생각이 드는 사랑을 해야 한다.

만약 나중에 다시 떠올렸는데
엥 왜 얘지? 등의 생각이 떠오르면
그건 진정으로 그 사람을 사랑한 것이 아니다.

현실

현실은 너무 매정하다.

열심히 준비해도 실력이 안 나오면
내 노력은 다 물거품이 된다.

가끔 현실은 내 노력을 인정 안 해주고,
나를 까내릴려고 악을 쓴다.

그럼에도 내가 다시 시작하고
살아가는 이유는 사람들의 정 때문이다.

그 따뜻한 정 때문에 살아간다.

마음 벅찬 행복

가끔 역경을 겪고 나오면
마음이 벅찬 행복이 찾아온다.

잠시 너무 행복하지만,
그다음에 생각이 든다.

다음에는 얼마나 힘든 게 또 찾아올까?
그래서 잠시 오는 행복이 소중해진다.

가끔

가끔은 나를 옥죄어오는 파도가 무섭지만
가끔은 그 파도가 필요할 때가 있다.

한번 나를 조용히 옥죄어 위로해 줄 때가 있다.

그러고는 아무 일 없었다는 듯,
내 근심 걱정을 휩쓸고 지나간다.

사과법

나에게 사과하는 법은 별거 없다.
내가 심하게 상처를 받으면 울 것이다.

그럼 그냥 웅크려 우는 내 모습을 보고,
옆에만 있어주면 된다.
그리고 내가 진정이 될 때쯤
안아주며, 미안하다고만 하면 된다.

만약 또 운다면 그때는,
곁에만 있어주면 된다.

과제

세상은 우리에게 과제를 너무 많이 준다.
그리고 그걸 해결해야만 한다.

시간이 없이 바쁘게만 흘러간다.
서로의 소중함을 느낄새도 없이,

과제를 해결하면 또 다른 과제가 찾아오고,
과제만 풀다가 우리의 인생은 끝이 난다.

하지만 그 틈에서 잠시 내 삶의 맛을 되찾고,
서로의 소중함도 느끼며 사랑하자.
.
.
.
.

우리 서로 사랑하기도 바쁜데 그치?

내가 좋아하는 이유

내가 너를 좋아하는 이유는
너의 미소가 너무 이뻐 보였다.

그리고 너와 함께 있으면
아무 생각도 들지 않았다.

너와 같이 들판에 가서 뛰어놀며,
여름을 만끽하고 싶다.

물론 그다음에 생각은 더 많아지겠지만
지금을 즐기고 싶다.

빛나는 순간

사람은 살면서 한번씩 빛난다.
근데 그걸 모르고 넘어가는 경우가 대다수이다.

가끔씩은 알아봐 줬으면 좋겠다.
자신이 빛나는 것을,

기억과 추억

과거에 머무르면 안 된다.

지금을 소중히 하며
과거는 과거로 내려놔야 하는데,
그게 되지 않는다.

기억이 추억으로 변할 때,
그 추억을 생생하게 느끼면 안 되고
앞으로 나아가야 할 때 나는 뒤에서
추억에 머물러있다.

그 바람의 향기도 그립다.

사랑의 향기

사랑의 향기는
머리가 띵할 정도로 달콤하다.

며칠을 내 머릿속에서 떠다니다가
또 머리가 아득해질 정도로
달콤한 향기를 원한다.

그러다 쓴 향이 찾아오면
달콤한 향을 그리워하다가,
결국 포기하고

또 다른 달콤함을 찾아 떠난다

쉽게

사람은 너무 쉽게 사랑을 준다.
주다가 내 몫까지 줘버리고는
텅 비어 눈물까지 비워내고는 떠난다

하지만 결국 떠나지 못하고,
곁을 맴돌다 또 차인다.

구원

과연 너는 내 구원이 맞았을까?

어쩌면 내 악이 너인데
내가 널 구원이라고 믿었던 건가.

구원이 날 망칠 수는 없잖아.

무제

만약 이 책을 보고 떠오른 사람이 있다면
그 사람은 당신의 여름이고 첫사랑일 것이다.

그 사람이 떠나갔다면 빨리 잊어주고,
그 사람이 아직 곁에 있다면 아껴주자.

결과

만약 내가 다시 돌아간다면
지금의 결과는 달라졌을까?

더 행복했을까?

작가의 말

우선 이 어리석은 책을 끝까지 읽어주셔서 감사합니다.
저는 당신이 이 책을 읽고 더 행복해지면 좋겠습니다.
한장 한장 책을 쓰며, 제가 담고 싶은 것은
그저 당신에게 가는 행운입니다.

저는 당신이 행복하고,
당신이 가는 길마다 행운이 같이 따랐으면 좋겠습니다.